roman rouge

Dominique et compagnie

Sous la direction de

Agnès Huguet

Gilles Tibo

Bisou et chocolat

Illustrations

Marie-Claude Favreau

Catalogage avant publication de Bibliothèque et Archives Canada

Tibo, Gilles, 1951-
Bisou et chocolat
(Roman rouge ; 39)
Pour enfants de 6 ans et plus.

ISBN 2-89512-481-7
I. Favreau, Marie-Claude. II. Titre.
III. Collection.

PS8589.I26B57 2006 jC843'.54 C2005-940924-X
PS9589.I26B57 2006

Dépôts légaux : 1er trimestre 2006
Bibliothèque nationale du Québec
Bibliothèque nationale du Canada
Bibliothèque nationale de France

ISBN 2-89512-481-7
Imprimé au Canada

10 9 8 7 6 5 4 3 2 1

Direction de la collection
et direction artistique :
Agnès Huguet
Conception graphique :
Primeau & Barey
Révision-correction :
Céline Vangheluwe

Dominique et compagnie
300, rue Arran
Saint-Lambert (Québec)
J4R 1K5 Canada
Téléphone : (514) 875-0327
Télécopieur : (450) 672-5448
Courriel :
dominiqueetcie@editionsheritage.com
Site Internet :
www.dominiqueetcompagnie.com

Nous remercions le Conseil des Arts du Canada de l'aide accordée à notre programme de publication. Nous reconnaissons l'aide financière du gouvernement du Canada par l'entremise du Programme d'aide au développement de l'industrie de l'édition (PADIÉ) pour nos activités d'édition.

Nous reconnaissons l'aide financière du gouvernement du Québec par l'entremise du Programme de crédit d'impôt pour l'édition de livres – SODEC – et du Programme d'aide aux entreprises du livre et de l'édition spécialisée.

À ce premier amour
dont j'ai oublié le nom

Chapitre 1

La première fois

Ce soir, dans mon lit, je suis incapable de dormir. Mes yeux refusent de se fermer, ils s'ouvrent tout seuls. Mon cœur ne ralentit pas, il accélère. Ma peau ne se réchauffe pas, elle frémit. Pourquoi suis-je toute bouleversée ? Parce que ce matin, il m'est arrivé un événement incroyable.

À la fin de la récréation, la cloche a résonné dans la cour de l'école. J'ai rejoint les autres élèves de mon

groupe. Le petit Mathieu s'est approché. Il s'est installé près de moi. Son bras a effleuré le mien. J'ai frissonné de la tête aux orteils.

Quelques secondes plus tard, il s'est retourné. Il a encore effleuré mon bras. J'ai vu sa peau se couvrir de frissons.

J'ai eu peur, mais je ne me suis pas sauvée.

Nous nous sommes dirigés vers notre classe. La main de Mathieu a touché la mienne. Nos doigts se sont refermés. Nous avons marché côte à côte, sans nous regarder. Je me disais que c'était peut-être une erreur, ou le fruit du hasard. Mais non, ce n'était pas un hasard. En haut de l'escalier, nos deux mains

se tenaient encore par la main. On aurait dit qu'elles se parlaient en silence.

Lorsque nous sommes entrés dans la classe, nos deux paumes se sont séparées toutes seules. Mathieu s'est assis à son pupitre, juste à côté du mien. Je l'ai épié du coin de l'œil. Il a fait la même chose.

J'ai rougi...

Lui aussi...

Ensuite, j'ai regardé l'intérieur de ma main. Il y avait encore un peu de Mathieu dedans.

Pendant le reste de la journée, nous avons fait semblant de rien. Nous nous sommes regardés souvent, mais pas comme d'habitude. Lorsque Mathieu souriait, on aurait dit qu'il souriait juste pour moi. Lorsqu'il riait, on aurait cru qu'il riait juste

pour moi et lorsqu'il ne faisait rien, on aurait dit qu'il ne faisait rien... juste pour moi.

À la fin de la deuxième récréation, mon ventre est devenu tout chaud. J'ai fait un peu de fièvre... Je ne suis pas allée à l'infirmerie, car il n'y a pas de remède contre l'amour. C'est une maladie qui s'attrape par les yeux, le nez, la bouche, les mains

et toute la peau. Je le sais parce que mon amie Romane, elle tombe en amour au moins une fois par jour et il n'y a rien à faire contre cela. C'est ce qu'elle m'a expliqué, la semaine dernière, en sortant de l'école.

Aujourd'hui, en revenant à la maison, elle me regarde et me dit :

– Toi, Marie, tu es amoureuse par-dessus la tête.

Chapitre 2

Amoureuse par-dessus la tête

Ce soir, dans mon lit, je songe à Mathieu, qui est mon amour par-dessus la tête... Il prend toute la place dans mon cœur. On dirait que c'est lui qui est dans mon corps et que moi, je suis couchée à côté de moi.

J'ai peur, mais, en même temps, c'est délicieux. Les yeux fermés, je murmure :

–Mmm… mmm… mmm…

Après quelques minutes, le souvenir de mon amoureux s'efface légèrement. J'en profite pour me réinstaller dans mon cœur, dans mon corps. Mais ça ne dure pas longtemps. L'image de Mathieu revient me hanter. C'est la première fois de ma vie que j'aime un garçon. Romane m'a expliqué qu'on de-

vient, alors, toute confuse. Quelquefois, on n'a plus faim, on n'a plus soif et on ne réussit pas à s'endormir tellement on aime son amoureux. D'autres fois, on aime tellement fort qu'on peut devenir folle. Alors, le meilleur remède c'est, paraît-il, d'aimer une personne que l'on n'aime pas vraiment…

J'ai peur de ne plus avoir faim, de ne plus avoir soif, de ne plus m'endormir. J'ai peur de devenir folle et d'être obligée d'aimer quelqu'un que je n'aime pas vraiment.

J'essaie de penser aux autres garçons de ma classe : Benoît le beau Benoît, Abdoul qui roucoule, Simon le bon, mais ça ne fonctionne pas. Je pense toujours au petit Mathieu,

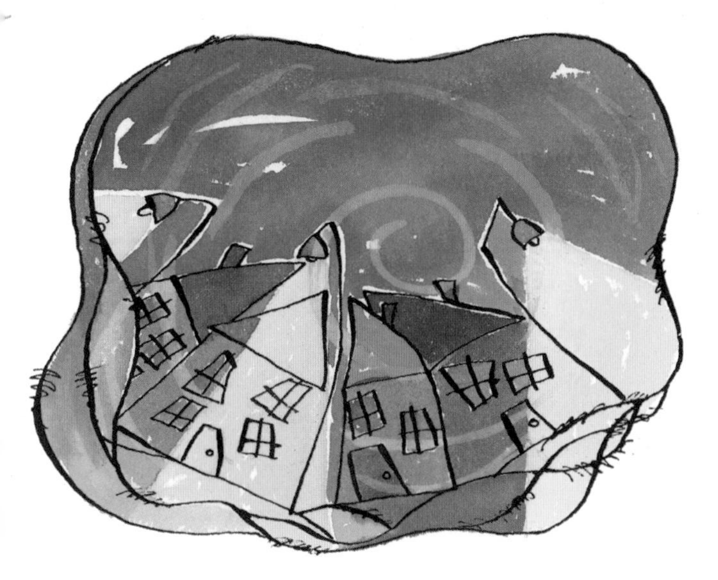

à son sourire, à ses frissons. Le tambour de mon cœur résonne jusque dans mes orteils.

Je glisse dans le sommeil rempli de rêves : l'espace qui me sépare de Mathieu rapetisse, rapetisse comme un élastique qui se contracte. Les longues rues de la ville deviennent toutes petites. Les pâtés de maisons se serrent les uns contre les autres.

La maison de Mathieu touche la mienne. Nos chambres se collent. Les murs disparaissent. Nos deux lits se rapprochent. Mathieu me regarde en souriant. Nous nous donnons la main puis, nous nous embrassons comme dans les films. Ensuite, je ne me souviens plus de rien…

Quand j'ouvre les yeux, je suis toute seule dans mes draps. Le réveille-matin indique sept heures. J'essaie

de penser à mon père, à ma mère, à mon amie Romane. Mais je ne pense qu'à Mathieu. Je vois son sourire partout. Ma fenêtre me sourit. Mes affiches me sourient. Mon sac d'école me sourit.

Une grande peur m'envahit.

Je sors de mon lit à toute vitesse. Je me précipite dans la salle de bain. Je ferme la porte à double tour. Le sourire de Mathieu se dessine sur le miroir, sur les serviettes, sur le savon.

Je m'habille et je cours jusqu'à la cuisine. Ma mère me demande :

–Marie, pourquoi cours-tu si vite ?

–J'essaie de me sauver !

–Te sauver de quoi ?

–D'un sourire...

Pour toute réponse, ma mère se gratte le front en dévorant ses rôties.

Moi, je n'ai pas faim. Des sourires

apparaissent sur le réfrigérateur et sur les casseroles au-dessus de la cuisinière. Mon père soupire :

–Allez, Marie, mange tes céréales !

J'avale quelques bouchées en espérant que les flocons d'avoine ne me feront pas de sourires dans le fond du bol.

Chapitre 3
À l'école

En route vers l'école, mes pieds font un grand détour pour passer devant la maison de mon amoureux. Le cœur battant, je me cache derrière un arbre. J'attends. Mathieu sort de chez lui en compagnie de son grand frère. Je marche discrètement derrière eux. Mathieu ne se retourne jamais. Sa voix se mêle au chant des oiseaux. De temps à autre, je regarde le ciel. On dirait qu'il chante, lui aussi.

Arrivée à l'école, je vais rejoindre mes amies. Nous parlons de tout et de rien, mais surtout de l'amour. En bavardant, je me rends compte que dans la vie, nous apprenons à lire, à écrire, à jouer au ballon, mais que personne ne nous apprend à aimer.

– Ça, il faut l'apprendre toute seule, soupire Romane.

– On peut l'apprendre dans les

films, dit Marilou.

– Ce serait plus facile dans un livre, suggère mon amie Jojo.

– Oui, mais ce serait gênant de se promener avec un gros livre d'amour...

Lorsque la cloche sonne, je me joins à mon groupe. Mathieu approche. Il me regarde en souriant. Chacun de ses sourires pénètre dans mon corps et se loge un peu partout. J'ai des sourires de Mathieu

dans les bras, les jambes, les poumons, la tête... J'ai tellement de sourires que mon cœur va éclater en mille soleils ! Je baisse les yeux pour murmurer :

– Bonjour, Mathieu...

Il me répond en rougissant :

– Bonjour, Marie...

Nous ne savons plus quoi dire ni quoi faire. Le groupe avance. Mathieu ne marche pas à mes

côtés. Il trottine derrière moi. Nos mains se cherchent mais ne se trouvent pas.

À l'heure du repas, j'ouvre ma boîte à lunch, mais je n'ai pas faim. Mathieu, installé à la table voisine, me fixe. Soudain, il s'empare de son thermos, contourne la table, puis se dirige vers moi. En le voyant approcher, mon cœur bondit dans ma poitrine.

Mathieu me dit :
– Salut !
Je réponds :
– Salut...
– Est-ce que je peux manger mon lunch près de toi ?
– Heu... Oui...
J'attends qu'il me dise autre chose, mais aucun mot ne sort de sa bouche. Sa figure devient toute rose.

La mienne aussi, je crois. Un de ses amis arrive tout à coup par-derrière et le pousse en riant. Sous le choc, Mathieu s'agrippe à mes épaules. Sa tête frôle la mienne. Ses cheveux se mêlent aux miens. Nos joues se touchent. Sa peau est douce comme de la soie. L'espace d'un instant, j'imagine qu'il me prend

dans ses bras et qu'il me serre très fort. Puis j'imagine que nous tournons la tête pour nous embrasser. Mais ce n'est qu'un rêve. Mathieu se relève et crie :

– Espèce de crétin !

Il s'élance vers son ami. Ils disparaissent tous les deux en courant et je reste seule devant le thermos de mon amoureux...

Chapitre 4

Les questions

Après l'école, je retourne à la maison en compagnie de Romane. Elle me parle de ses nombreux amoureux. J'en profite pour lui demander :

– Comment fait-on pour savoir si on aime un peu, beaucoup ou passionnément ? Embrasser quelqu'un, est-ce que ça nous chatouille la bouche ? Comment deviner si notre amoureux nous aime moins, autant, ou plus que nous ? Comment fait-on pour savoir si on embrasse bien ?

Faut-il se brosser les dents avant ou après avoir embrassé notre amoureux ? Dois-je garder mon amour secret ou l'avouer à mes parents ? Devrais-je murmurer « je t'aime » à Mathieu, ou attendre qu'il me le dise ?

Romane reste silencieuse. Elle ne me donne aucune réponse. Au premier coin de rue, elle se sauve en disant :

– Tu m'énerves avec tes questions !

Je lui crie :

– Romane, tu ne connais rien à l'amour véritable ! Laisse faire ! Je vais me débrouiller toute seule.

Pour me débrouiller toute seule, je file à la bibliothèque près de chez moi. Une demi-heure plus tard, j'en sors avec sept bouquins qui parlent de l'amour véritable : deux

histoires de princesses, un recueil de poèmes romantiques, trois traités de biologie et un manuel d'horoscope amoureux. Avec cela, je vais tout savoir et même plus !

En arrivant à la maison, je me plonge dans la lecture. À l'heure du souper, je mange en vitesse, puis je m'enferme à nouveau dans ma chambre. Je me cache sous mes couvertures. À la lueur d'une lampe

de poche, je consulte encore et encore mes volumes, mais je ne suis pas plus avancée... juste un peu plus angoissée.

Vers minuit, je me lève pour aller à la salle de bain. Je passe devant la chambre de mes parents. J'y entends des « mmm... mmm... mmm... » et des « mmm... mmm... mmm... » à n'en plus finir. Je crois bien que mes parents s'aiment beaucoup.

Je retourne à ma chambre. Je me glisse dans mon lit et je m'endors en rêvant que, Mathieu et moi, nous nous embrassons en faisant des « mmm... mmm... mmm... » à n'en plus finir.

Chapitre 5
Cui-cui...

À l'épicerie, c'est moi qui pousse le chariot. Les roues, en tournant, font « cui-cui » comme le chant des oiseaux. Mon père s'arrête toutes les deux secondes pour choisir de bonnes choses à manger. Soudain, mon cœur fait un double saut périlleux. Au bout de l'allée, j'aperçois Mathieu près de sa mère. Les deux mains dans les poches, il regarde l'étalage des biscuits.

« Cui-cui. » En poussant le chariot, je m'approche de mon amoureux et, mine de rien, je lui murmure à l'oreille :

– Hum… les biscuits aux pépites de chocolat, ce sont mes préférés !

Surpris par mon apparition, le petit Mathieu devient rouge comme une tomate. Il finit par répondre :

– Moi, ce sont les barres tendres au chocolat que je préfère !

Ensuite, nous ne savons plus quoi dire, parce que nous avons seulement le goût de nous embrasser. Je m'éloigne en poussant mon chariot qui fait « cui-cui ».

« Cui-cui. » Je disparais dans une autre allée.

« Cui-cui. » Je m'approche de la caisse.

Mon père paye la facture. Ensemble nous quittons l'épicerie.

« Cui-cui », chantent les vrais oiseaux dans les arbres.

• • •

Le lundi matin, sur le chemin de l'école, le vent transporte des parfums de chocolat. Je me retourne. Mathieu déambule derrière moi. Sans dire un mot, il m'offre un biscuit.

Tout en nous régalant, Mathieu et moi, nous marchons l'un près de l'autre. Au deuxième coin de rue, il me demande :

– Aimes-tu les biscuits à la guimauve ?

– J'en raffole !

–Moi aussi, répond-il, le sourire aux lèvres.

Au troisième coin de rue, il me demande encore :

–Aimes-tu les carrés aux dattes ?

–J'en raffole !

–Moi aussi, répond-il, l'eau à la bouche.

Au quatrième coin de rue, Mathieu murmure :

–Mon sac est rempli de biscuits aux pépites de chocolat, de biscuits à la guimauve et de carrés aux dattes...

Je glisse ma main dans celle de Mathieu. Je lui souffle à l'oreille :

–Moi, mon sac est rempli de barres tendres au chocolat !

Mathieu et moi, nous marchons sans parler. En sa compagnie, je suis certaine que je pourrais me rendre jusqu'au bout du monde.

Au cinquième coin de rue, Mathieu s'arrête. Il me demande, comme s'il avait lu dans mes pensées :